W9-BNS-538

ta mère

DU MONDE ENTIER

ta mère

Collection dirigée par Arthur

Tous droits de traduction, de reproduction et d'adaptation réservés
pour tous pays

©Éditions Michel Lafon, 1995
ISBN : 2-84098-100-9

À toutes les mamans du monde

PARDON!

Mais c'est pour la bonne cause!

1

ta mère est grosse

TA MÈRE EST TELLEMENT GROSSE QU'ELLE UTILISE UN MAGNÉTOSCOPE POUR BIPER SON RÉPONDEUR

Ta mère est tellement lourde qu'elle laisse des traces dans le bitume

Ta mère a des pieds tellement grands que pour faire du roller elle prend une planche à voile et met des roues de tracteur.

Ta mère est tellement grosse qu'avec elle le «safe sex» c'est d'emmener sa balise Argos.

Ta mère est tellement grosse qu'après l'amour elle fume des dindes.

ta mère

Ta sœur elle est tellement grosse que quand elle se pèse la balance crie : «Eh, faut pas monter à deux !»

Yo mama so fat, she's on both sides of the family

Ta mère est tellement grosse qu'elle est des deux côtés de la famille.

que partout

Ta mère est tellement grasse qu'elle a des yeux dans ses urines.

est tellement grosse

où

Ta mère a tellement de cellulite
que si on lui pose
des ventouses ça fait
des pots de yaourt.

je regarde,
elle est toujours

Ta sœur est
tellement grasse
qu'elle fait top-model
chez Olida.

Ta mère est tellement
énorme que quand
tu marches derrière,
t'es aspiré entre
ses fesses.

**Ta mère est tellement grosse
qu'elle ne projette pas
d'ombre.**

Ta mère est

Ton père est

tellement

tellement gros

grosse que

qu'il doit enlever

quand on la

son pantalon

chatouille les

pour mettre

sismographes

ses mains dans

enregistrent

des poches.

les secousses.

Ta sœur est tellement grosse qu'elle peut pas porter des blousons « Malcolm X », de peur que les hélicos lui atterrissent sur le dos.

Ta mère

a tellement de bourrelets que pour trouver son nombril il faut des chiens d'avalanche.

est tellement grosse qu'elle a dû réserver une chambre double pour un week-end de célibataire.

est tellement grosse qu'elle repasse ses fringues sur l'autoroute.

est tellement énorme que quand elle éternue on dirait un effet spécial.

Ta mère est tellement grosse qu'elle pourrait embaucher Carlos comme nain de jardin.

Ta mère est tellement grosse que quand elle met des escarpins, à la fin de la journée ils sont devenus des ballerines.

Ta mère est tellement goulue qu'elle gobe les poulets entiers et recrache les carcasses.

Ta mère a des jambes tellement énormes que le jour où elle a retiré ses bas résille pour se baigner dans la mer, on l'a chopée pour utilisation illicite de filets dérivants.

Ta mère,

Ta mère

en apesanteur,

est tellement grosse

on dirait

qu'elle se souvient

«Barbapapa dans

même pas

l'espace».

de ses pieds.

TA MÈRE EST TELLEMENT GROSSE QUE QUAND ELLE MARCHE AVEC DES TALONS AIGUILLES, ELLE TROUVE DU PÉTROLE

Ta mère est tellement grosse que quand elle va au restaurant on ne lui donne pas le menu, on lui fait un devis.

Ta mère est tellement grosse qu'elle a besoin de deux montres, parce qu'elle couvre deux fuseaux horaires.

Ta sœur est tellement grosse qu'elle a piqué deux cerceaux au prof de gym pour faire tenir ses chaussettes sur ses jambes.

Ta mère est tellement grosse qu'elle a deux estomacs : un pour la viande, un pour les légumes.

Ta sœur est telle-ment grosse que lorsqu'elle était dans le ventre de sa mère, on a fait son échographie par satellite.

Ta mère est tellement grosse que les tracteurs tombent en panne d'essence en essayant de l'écraser.

- **Ta sœur est tellement grosse que quand elle danse en boîte, les disques sautent.**

Ta mère est tellement grosse que je dois prendre deux trains et un bus pour en faire le tour.

- **Ta mère, c'est comme le triangle des Bermudes : quand les gamins courent autour d'elle, ils se perdent.**

Ta mère est tellement grosse que quand elle prend un bain de mer Greenpeace doit surveiller les baleiniers.

Yo mama so fat, that when she takes a bath in the ocean Greenpeace says to free the whales.

Ta mère est tellement grosse que son ventre arrive toujours en bas le premier.

● **Ta mère est tellement grosse que quand elle saute sur un billet de cent francs, il lui rend la monnaie.**

Ta mère est tellement grosse qu'un jour elle a apporté une robe chez le teinturier, et il lui a dit : « Désolé mais on ne fait pas les doubles rideaux. »

● **Ta mère, quand elle fait de l'ombre, on dirait une marée noire.**

Ta mère est tellement grosse qu'à chaque fois qu'elle sort y'a une éclipse.

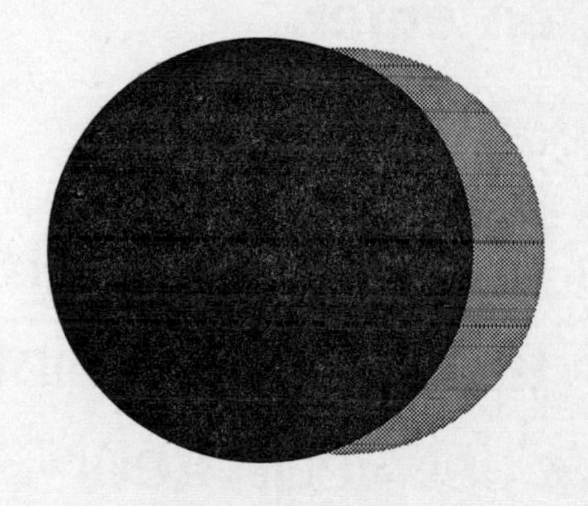

Ta mère est tellement grosse que si elle tombait d'un arbre, elle irait tout droit en enfer.

Tu es tellement gros que ta taille de ceinture c'est «équateur».

Ta sœur est tellement grosse que tu trouveras qu'un cornac pour lui monter dessus.

Les gens de ta famille
T'es tellement gros
sont si gros
que quand tu vas
qu'en jetant
dans un hôtel
une pierre
tu dois passer
par la fenêtre,
en deux fois
j'ai touché
par le tourniquet
tout le monde
d'entrée.
dans la maison.

2

Ta mère a des oreilles tellement grandes qu'au lieu des boules Quiès elle met des Tampax.

Ta sœur a des oreilles tellement grandes qu'on a utilisé un harpon pour les percer.

Tes oreilles sont tellement grosses que tu peux entendre le langage des signes.

Ta mère a des lobes tellement énormes que comme

Ta mère a les oreilles tellement larges qu'elle doit rouler les vitres ouvertes.

Tes oreilles sont si grandes que tu peux entendre quand je pense.

Ta mère a des oreilles tellement grandes que le combiné du téléphone est tombé dans le trou !

boucles d'oreilles elle porte des panneaux solaires.

3

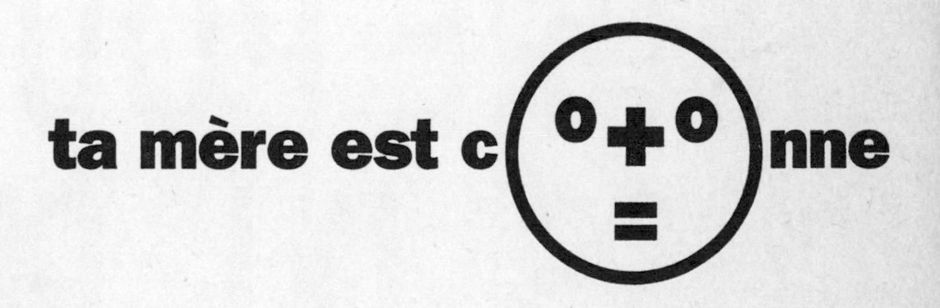

TA MERE EST TELLEMENT CONNE QU'IL LUI FAUT UNE HEURE POUR CUIRE DU RIZ MINUTE

Ta mère est tellement bête que quand on lui demande ce qu'elle pense du boom démographique elle répond : « J'ai rien entendu. »

Ta mère est tellement bête que quand ton père l'a demandée en mariage elle a dit oui.

Ta sœur est tellement naïve que quand on lui a dit que les cigognes apportaient les bébés, elle s'est mise une cheminée dans sa petite culotte.

T'es tellement abruti qu'il te faut une heure et demie pour compter soixante minutes.

Ta mère est même pas la dernière des connes, elle a pas été admise à l'examen !

Ton père est tellement con que quand je lui ai dit : « Regardez, une mouette morte! », il a levé la tête en l'air et m'a demandé : « Où ça? »

Ta sœur

Ta mère

est tellement inculte

est tellement conne

qu'elle croit que

qu'elle comprend

les Guides Bleus

même pas

c'est écrit

la télévision.

par les Schtroumpfs.

Con comme toi c'est pas naturel, tu dois être le Ben Johnson de la connerie.

Ton père est tellement con qu'il comprend pas pourquoi le Minitel rose est en noir et blanc.

Ta mère est tellement bête que quand elle regarde un film les acteurs s'endorment.

Ta mère, avec son niveau intellectuel, elle serait même pas prise dans l'annuaire.

Ta sœur est tellement ravagée que pour faire revenir des oignons elle commence par les lancer au loin.

Chez toi, quand on joue à *Questions pour un champion*, c'est le hamster qui gagne.

TA MÈRE EST TELLEMENT CONNE QU'ELLE A APPELÉ LES RENSEIGNEMENTS POUR OBTENIR LE NUMÉRO DU 12

Ta mère est tellement bête qu'elle gratte les tickets de métro.

Ta mère est tellement bête que si elle passait à *La Roue de la fortune* elle serait foutue de gagner.

T'es tellement con que même si Jésus revenait il arriverait pas à t'aimer.

Ta mère est tellement conne qu'elle croit que les rames du métro c'est pour ramer.

Ta mère est tellement conne que quand elle mange des huîtres elle s'étonne de chier des coquilles.

Ta mère est tellement beauf que la première fois qu'elle est entrée dans un ascenseur elle a pensé que c'était un mobil-home.

Ton frère est tellement à la masse qu'il a trébuché sur un téléphone sans fil.

Ta mère est tellement bête que quand je lui ai dit qu'elle perdait la tête, elle s'est mise à sa recherche.

Ta mère est tellement bête que quand t'es né et qu'elle a vu le cordon ombilical elle a crié : « Regardez, il est arrivé avec le câble, chouette on va l'appeler Canal Jimmy ! »

Ton père
Ta mère
est tellement con
est tellement conne
qu'il est mort
qu'elle croit
de faim et de soif
que le téléphone
après avoir passé
sans fil
une nuit enfermé
c'est pour appeler
dans un super-
les sourds.
marché.

Ta mère est tellement conne
qu'elle a été percutée
par une voiture en stationnement.

Ta sœur est tellement
désespérante
que même Mère Teresa
elle voudrait pas d'elle.

Ton père est tellement bête
qu'il pensait que le racisme était
une épreuve olympique.

**Ta mère
est tellement conne
qu'elle croit
que ménopause
c'est une touche
du magnétoscope.**

Ta mère est tellement bête que sur un formulaire où il y avait écrit : « N'inscrivez rien en dessous de cette ligne », elle a écrit : « OK ».

Ta mère elle est tellement bête qu'elle gratte les tickets de Loto.

Ta sœur est tellement conne qu'elle comprend même pas les chansons de Didier Barbelivien.

Ta mère est tellement conne que quand je lui ai demandé d'aller chez Darty acheter une TV couleur elle m'a demandé : « Quelle couleur ? »

4

Ta
mère
a un si gros cul que la baignoire lui sert de bidet.

a un cul
tellement

Le cul de ta mère est tellement gros que quand elle marche dans la rue, on dirait deux chiens en train de se battre.

énorme
qu'elle éteint
les volcans
en s'asseyant

Le cul de ta mère est tellement gros que pour laver un de ses slips il lui faut deux machines.

dessus.

5

ta mère est m 0 = + + che

TA MÈRE EST TELLEMENT MOCHE QUE QUAND ELLE VA À LA BANQUE, ILS COUPENT LES CAMÉRAS

Si la laideur était une brique, ta mère ce serait la tour Montparnasse.

Ta mère est tellement affreuse
que quand elle se met au balcon les pigeons
la prennent pour une gargouille.

Ta mère est tellement moche que quand elle sort du zoo on vérifie les cages.

Ta sœur est tellement laide que c'est pas la chirurgie esthétique qu'il lui faut, c'est un échange standard.

Ta mère est

Ta sœur elle est tellement poilue que quand elle promène son chien c'est elle que les gens caressent.

tellement moche

Ton frère est tellement morveux que c'est pas un mouchoir qu'il lui faut, c'est une motocrottes.

qu'elle achète

Ton père est tellement moche que s'il est chauve c'est parce que ses cheveux s'enfuient en courant.

son maquillage chez Castorama.

Ta grand-mère pique tellement qu'on va l'envoyer à Séville chez le barbier.

T'es tellement
T'es si moche
moche
qu'un jour ta famille
qu'à ta naissance
t'a envoyé au Prisu
ils ont mis
acheter du Coca
des vitres
et quand t'es revenu
teintées
ils avaient déménagé.
sur ta couveuse.

Ta mère fait tellement penser à un épouvantail que sur un aéroport les avions refuseraient d'atterrir.

Ta meuf est tellement moche que quand on lui fait un suçon on se retrouve avec la bouche pleine de fourrure.

Si la laideur était une tempête de neige, ta mère serait le blizzard.

Ton gosse est tellement raté qu'on dirait que tu l'as eu en kit mais sans la notice de montage.

Ton visage est tellement moche qu'on dirait que ton cou veut le vomir.

Ta sœur est tellement laide qu'elle a de la cellulite aux genoux et les fesses cagneuses.

Ta sœur est tellement
moche
que la première fois qu'on l'emmènera en boîte ce sera pour son enterrement.

•

**Ta sœur
a tellement d'acné
que quand elle pleure
ses larmes
sont obligées
de faire du 4x4
pour arriver
au menton.**

T'es tellement moche qu'à ta naissance, lorsqu'on t'a sortie du ventre de ta mère, le médecin a jeté un coup d'œil sur toi et a donné une fessée à tes parents.

Ton père est tellement moche que c'est pas une brosse qu'il a sur la tête, c'est ses cheveux qui se dressent d'horreur.

Ta sœur a des lèvres
tellement grosses
que quand elle sourit
ses cheveux
sont mouillés.

Ton frère, même
dans le formol les gens
y croiraient pas !

Ta mère a tellement
une tronche de cake
qu'elle devrait épouser
Papy Brossard.

6

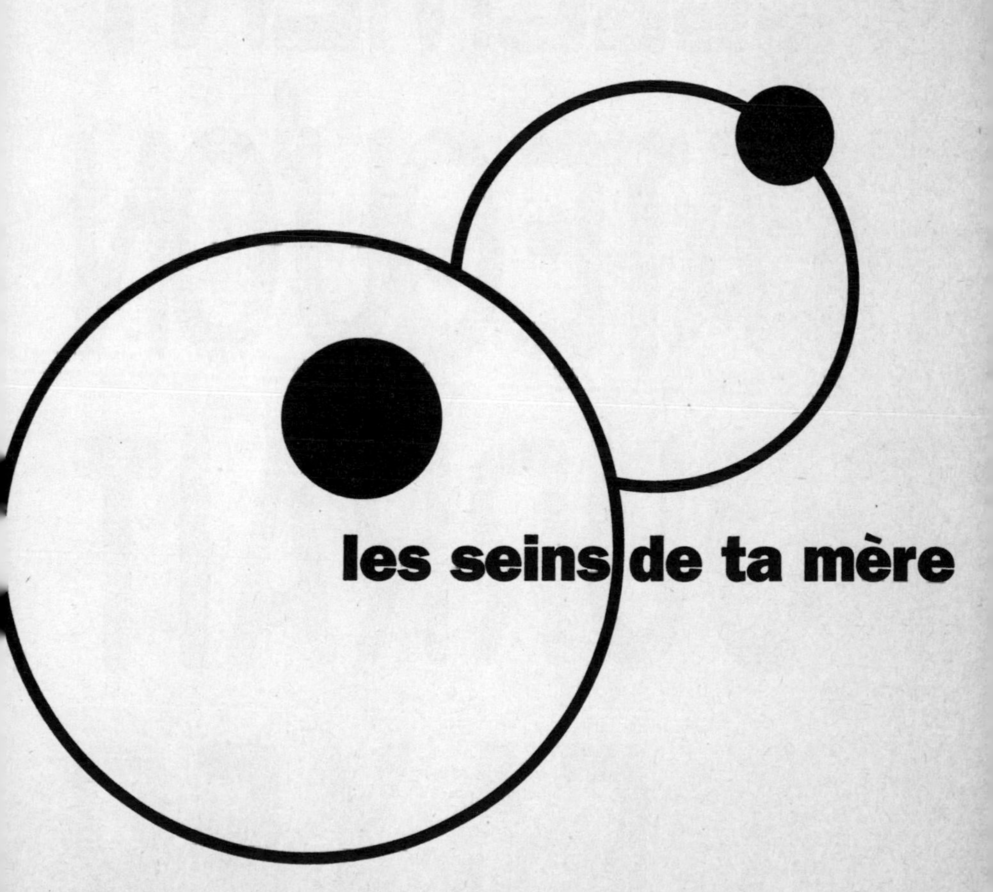

les seins de ta mère

TA MÈRE EST

Yo mama so flat, you can fax her!

TELLEMENT
PLATE QU'ON
POURRAIT
LA FAXER

Tes seins sont tellement petits que tu dois tatouer «devant» sur ton torse.

DEVANT

Yo mama so flat, she has to tattoo her behind and her front on her torso

Ta mère a les seins qui tombent tellement que les poils de sa foufoune remplissent son décolleté.

Ta mère a les seins qui pendent tellement que quand elle est passée à *la Roue de la fortune* il a fallu démonter la roue pour les décoincer.

Ta mère a une poitrine tellement grosse qu'au Franprix elle commence par remplir deux caddies avec ses seins.

Ta mère a les seins qui pendent tellement que si elle fait le poirier elle meurt étouffée.

Si on a mis des boîtes à gants à l'avant des voitures, c'est pour que ta mère puisse ranger ses seins dedans.

Ta mère a la poitrine tellement pendante que quand elle fait du vélo elle doit mettre des pinces à seins.

Si encore ta sœur avait les seins comme des œufs au plat au lieu de les avoir en omelette !

Ta **mère** est **tellement** **vieille** que ses **seins** donnent du **lait** en **poudre.**

7

ta mère est vieille

TA MÈRE EST TELLEMENT VIEILLE QUE SON NUMÉRO DE SÉCURITÉ SOCIALE C'EST 1

Ta mère est tellement vieille qu'elle mange de la rouille.

Ta grand-mère est tellement vieille que quand un théâtre lui a proposé un rôle de son âge elle est morte.

Ta mère est tellement vieille que quand elle entre dans un magasin d'antiquités, ils lui collent une étiquette sur le dos.

Ta grand-mère est tellement vieille que c'est elle qui a écrit la préface de la Bible.

Yo mama so old that to blow out her birthday candles you have to use dynamite

Ta mère est tellement vieille que pour souffler son gâteau d'anniversaire il lui faut de la dynamite.

Ta mère tremble tellement qu'on dirait qu'elle a pas de décodeur.

Ton père est tellement vieux qu'il était l'organisateur du duel de David contre Goliath.

Your dad's so old, that he organized the battle of David + Goliath.

Ta mère est tellement vieille que quand Moïse a traversé la mer Rouge, elle était sur l'autre rive en train de pêcher du thon.

Yo mama so old that when Moses parted the Red Sea, she was on the other side cheering him on

Ta mère est tellement vieille qu'elle a connu Burger King alors qu'il n'était que prince.

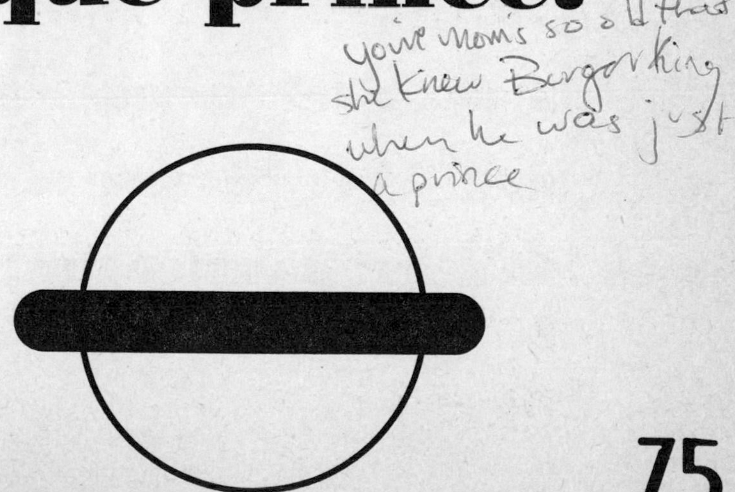

ta me

● est tellement sèche que les oiseaux viennent y faire leurs nids.

● est tellement vieille qu'elle connaissait le code de l'appartement de Jésus.

● a la peau tellement crevassée que quand on l'embrasse on a l'impression de crapahuter sur la lune.

● est tellement ridée qu'il faudrait une grue pour lui faire un lifting.

● est tellement vieille qu'elle a gardé les photos dédicacées de l'homme de Cro-Magnon.

● est tellement vieille qu'elle a aidé Moïse à corriger ses fautes d'orthographe quand il a recopié les Dix Commandements.

Yo mama so old, she helped Moses fix his spelling mistakes in the 10 commandments

Ta mère est tellement vieille que quand un flic lui demande sa carte d'identité, elle tend une pierre.

Your grandma is so... yellow... that when she's in NY, people yell «taxi!»

Ta grand-mère est tellement jaune qu'à New York tout le monde l'appelle «taxi».

Yo mama so old her # is in Roman numerals

Ta mère est tellement vieille que son numéro de Sécu est en chiffres romains.

Yo mama so old, she's in white & black

Ta mère est tellement vieille qu'elle est en noir et blanc.

Yo mama so old, she played scrabble with Cleopatra!

Ta mère est tellement vieille qu'elle jouait au Scrabble avec Cléopâtre.

Ta mère est tellement vieille qu'au supermarché elle met ses courses dans les poches qu'elle a sous les yeux.

Et elle est tellement vieille que quand elle crache ça sèche avant de tomber par terre.

Ta mère est telle-ment vieille qu'elle a encore son ticket d'entrée pour les jeux du cirque.

8

ta mère est black

TA MÈRE EST TELLEMENT NOIRE QUE QUAND ELLE EST ASSISE DANS UNE VOITURE ON DIRAIT QU'ELLE A LES VITRES TEINTÉES

Ta petite amie est tellement noire que quand elle met du rouge à lèvres elle ressemble à un cheeseburger.

Ta mère est tellement noire que quand elle enfile un tee-shirt blanc, on dirait une tasse de café.

Ton père est tellement noir qu'il pourrait obtenir un job d'ombre.

Ta mère est tellement noire qu'on pourrait faire marcher le barbecue avec ses crottes de nez.

9

TON PÈRE EST TELLEMENT PETIT QU'ON PEUT VOIR SES PIEDS SUR SA PHOTO D'IDENTITÉ

Ton père est tellement petit que sa tête pue des pieds.

Ta mère a les jambes tellement courtes que quand elle marche dans la rue ça laisse des traces de limace.

Ta sœur est tellement petite que quand on lui met un suppositoire elle double de volume.

Ta mère est tellement petite qu'on la mesure au laser.

Ton père est tellement petit que même de près il a l'air loin.

Ton frère est

Ton père est

tellement

tellement petit

petit qu'il

qu'il faut ramper

s'est mis des

devant lui

talonnettes

pour le regarder

entre chaque

droit

vertèbre.

dans les yeux.

Ta mère est si petite qu'en sautant de la cuvette des chiottes elle s'est fait une entorse.

Ta mère est tellement petite que dans l'ascenseur elle doit monter jusqu'au troisième pour atteindre le premier étage.

Ta mère est tellement petite qu'elle peut marcher sous un lit avec des échasses.

Ta mère est tellement petite qu'elle saute à pieds joints sur les touches pour composer un numéro de téléphone.

Ta mère, elle fait du skate-board sur des cafards.

Ta mère est tellement petite qu'elle peut se suicider en se jetant du bord du trottoir.

10

les yeux de ta mère

Tes lunettes
Ta mère
sont si fortes
a dans les yeux
que tu peux
le même bleu
voir des
qu'elle a
choses qui
dans
sont arrivées
les varices.
hier.

Ta mère louche

Ta mère

tellement que

louche

quand

tellement

elle pleure

qu'elle fait

ses larmes

des ronds

coulent

en marchant.

dans son dos.

ta mère est
pauvre

T'ES TELLEMENT
P A U V R E
QU'IL Y A
JAMAIS DE
SURPRISE DANS
TES KINDER

Ta mère est tellement pauvre que chez elle le pâté en croûte c'est une baguette fourrée au Ronron.

C'est tellement petit chez toi que même les cafards sont bossus.

Chez toi c'est tellement petit que quand j'ai mis la clé dans la serrure j'ai cassé un carreau.

Ta maison est tellement petite qu'il faut aller dehors pour se changer les idées.

Ta famille est tellement pauvre que quand elle va aux Restos du Cœur elle prend un plat pour quatre.

Ta mère est tellement pauvre que les gens lui parlent en russe.

Ta maison est tellement petite que quand tu manges dans la cuisine, tes coudes sont dans le salon.

Ta mère

Ton père

est tellement

est tellement

pauvre

pauvre

qu'elle découpe

que pour économiser

les steaks

les ampoules

dans la moquette

il s'éclaire

de l'immeuble.

avec les flashes infos.

Ta famille est si pauvre que chez toi il y a plus de bougies que dans une église.

Si ta mère avait autant d'argent que d'intelligence, elle aurait besoin d'un crédit pour s'acheter un ticket de métro.

Ta famille est tellement fauchée que chez toi les pendules veulent même pas donner l'heure.

Tes parents sont tellement pauvres qu'un jour chez toi j'ai écrasé un mégot qui était par terre et ta mère a crié : « Qui a éteint le chauffage ? »

Ta mère est tellement pauvre que c'est les éboueurs qui lui donnent des étrennes.

Ta mère est tellement pauvre qu'elle s'habille avec les sacs de chez Tati.

Tes chaussures sont si vieilles que quand tu marches sur un chewing-gum, t'en connais le parfum.

**Ta mère
est tellement pauvre
que l'autre jour
je l'ai vue marcher
dans la rue avec
une seule chaussure.
Quand je lui ai dit :
« Vous avez perdu
une chaussure? »,
elle m'a répondu :
« Non, j'viens d'en
trouver une! »**

**Ton père
est tellement pauvre
que l'autre jour,
quand je l'ai vu donner
un coup de pied dans
une canette de bière,
et que je lui ai
demandé :
« Mais qu'est-ce que
vous faites ? »,
il m'a répondu :
« J'déménage. »**

Ta mère est tellement pauvre qu'on devrait lui interdire de regarder les pubs.

Chez toi vous êtes tellement pauvres que sous la douche les petits se lavent avec l'eau qui coule des grands.

Tes parents sont tellement pauvres qu'avec un ticket-restaurant ils croient pouvoir acheter le restaurant.

Ton père est si pauvre qu'on ne peut même pas se permettre de lui prêter un peu d'attention.

Ton père est tellement pauvre que si tu lui serres la main tu y laisses ta ligne de chance.

Tes parents sont tellement pauvres qu'ils squattent une niche chez l'abbé Pierre.

Ta mère est tellement pauvre qu'à Noël elle t'a offert une cassette vidéo montrant des enfants qui jouent avec leurs cadeaux.

Ta famille est si pauvre qu'elle va au Mac Do pour lécher les doigts des gens.

Ta famille est tellement pauvre qu'à chaque fois que je sonne à la porte, ta mère passe sa tête par la fenêtre et crie «ding-dong».

Ta mère est tellement

T'habites un quartier tellement pauvre qu'on n'y reçoit que les chaînes publiques.

pauvre que sur sa télé

Chez vous vous êtes tellement pauvres que chaque année on enterre le dernier-né dans le cercueil de son grand frère.

même les émissions en

Chez toi c'est tellement petit qu'à peine entré on est déjà sorti.

clair elle les reçoit codées.

Ta famille

Tes parents

est tellement

sont tellement

pauvre

pauvres

que la dernière fois

qu'ils se sont

que t'as mangé

mariés

un plat chaud,

juste pour

c'est quand

le riz.

ta maison a brûlé.

T'es si pauvre que tu as eu la télé couleur jusqu'au jour où tu as épuisé tes Caran d'Ache.

Ta famille est tellement pauvre qu'elle a uniquement deux chaînes de télé : la 1 c'est «Marche», la 2 c'est «Arrêt».

Ta famille est si pauvre que les cafards doivent manger dehors, sinon ils meurent de faim.

12

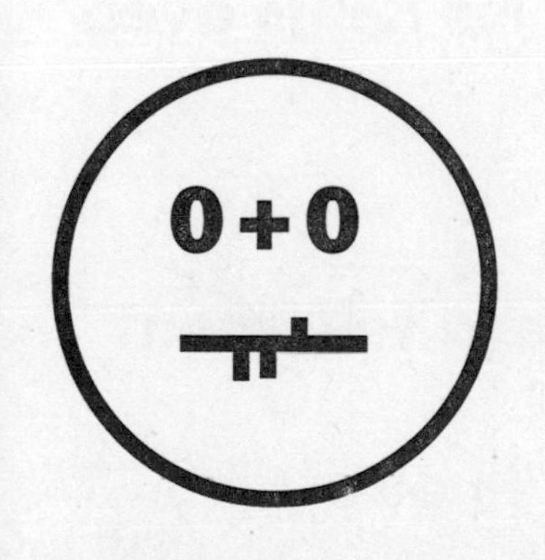

les dents d~~e~~ ta mère

la

Tes dents sont si jaunes que les voitures ralentissent quand elles te voient sourire.

Ta mère a les dents tellement dégueulasses qu'elle doit les laver chez «Carwash».

Ton père a un zizi tellement petit que ta mère se cure les dents avec.

Ta mère a tellement de caries que son dentiste la soigne au Caterpillar.

Ta mère a tellement de tartre sur les dents qu'il faut les nettoyer au Canard-WC.

Y'a tellement de bouffe collée sur tes dents que Kouchner voulait les envoyer en Afrique pour ceux qui meurent de faim.

Ta mère a les dents tellement noires qu'elle doit les frotter avec la brosse à chaussures.

13

TA MÈRE C'EST COMME UNE BIBLIOTHÈ-QUE, ELLE EST OUVERTE AU PUBLIC

Ton pédé de frère est tellement obsédé qu'il bande en léchant le dos des timbres.

Ta mère est tellement frigide que sa petite culotte sert à mettre les bouteilles au frais.

Ta sœur est tellement chaude que quand elle est passée à *Tournez Manège* elle s'est tapée un cheval de bois.

Ta mère a une fouf tellement énorme qu'elle doit utiliser une soucoupe volante comme stérilet.

Ta sœur

est tellement

D'ailleurs

rousse

c'est pas une

que quand

vraie rousse :

tu lui fais

c'est parce

minette

qu'y a l'feu !

on t'appelle

Bugs Bunny.

Ta mère est tellement poilue qu'avant de lui faire l'amour, tu dois la rouler dans la farine pour savoir où elle mouille.

Ta mère est tellement voûtée que son sexe a des oreilles.

Quand ton père baise ta mère, les voisins du dessous appellent les pompiers.

Dis à ta mère
de ne plus mettre
des rouges
à lèvres de toutes
les couleurs
parce que
ça me fait
un arc-en-ciel
sur la bite.

Ton frère est tellement chaud qu'il se masturbe devant *la Cuisine des mousquetaires*".

Ton père, ce serait pas celui qui joue dans *les Feux de l'amour* et qu'a refilé la brûlure à tout le monde ?

Ce n'est pas parce que ta sœur taille une pipe dans une cabine téléphonique que ça fait d'elle une call-girl.

Ta mère est tellement snob qu'elle taille des pipes avec une paille.

Ta sœur, elle a une bouche
à tailler des cheminées
de hauts fourneaux.

Ta mère a la toison
tellement drue que quand
elle fait du bronzage
intégral les Canadair
tournent au-dessus.

Ta sœur a des goûts
tellement bizarres qu'elle
se touche devant
les Animaux du monde.

Ta mère a un sexe tellement profond que c'est le commandant Cousteau qui a dû remplacer son gynéco.

Quand ton père saute ta mère, c'est pas un accouplement mais un enlisement.

Quand ta mère fait une partouze, on dirait une truie qui allaite ses petits.

Le sexe de ta mère est tellement fripé qu'elle pourrait accoucher d'une momie.

Ta sœur a une foufoune tellement vorace qu'on la croirait sous vide.

Au lit elle est tellement molle qu'on a l'impression de planter un marteau-piqueur dans du sable mouvant.

Quand ta sœur écarte les cuisses, le satellite Spot croit filmer le Grand Canyon.

Quand ton père embrasse ta mère on dirait une partouze de limaces sur une paire de choux rouges.

Je suis jaloux de ta mère parce qu'elle a une bite plus grosse que la mienne.

Ta mère a un sexe tellement vaste qu'elle commande ses vibromasseurs chez Arianespace.

Ta sœur est tellement maigre que quand on la pénètre elle devient bossue.

Ta bite est si petite que si je la présentais au tribunal, on la rejetterait pour manque de preuve.

Ton père est tellement cocu qu'il est obligé de se déguiser en facteur pour baiser ta mère.

La mer Rouge, c'est le jour où

ta mère a eu ses règles à Eilat.

Ta mère y'a que l'Eurostar qui lui soit pas passé dessus, il croyait entrer dans le tunnel sous la Manche.

Ta mère a un sexe tellement béant que quand elle ouvre les cuisses ça fait appel d'air.

14

ta mère est

maigre

TA SŒUR EST TELLEMENT MAIGRE QU'ELLE DOIT FAIRE DES NŒUDS À SES JAMBES POUR AVOIR DES GENOUX

Ta mère est tellement maigre que sur ses radios elle est pareille qu'à poil.

T'es tellement maigre que même avec une enclume dans la poche tu pèses seulement cinq kilos.

Ton père est tellement filiforme qu'une cravate lui sert de tablier.

Ta sœur est tellement maigre comme un clou qu'elle pourrait dormir dans une trousse à crayons.

Ton frère est tellement maigre qu'il se sert de ses chaussettes comme duvet.

T'es tellement maigre que t'as pas un cul mais juste un trou de balle au bout de la colonne vertébrale.

Ton mère est tellement maigre qu'on dirait un squelette sous cellophane.

Ta mère est tellement rachitique que si elle pète elle s'envole.

15

TA MÈRE PUE
TELLEMENT QUE
QUAND ELLE DESCEND
LES POUBELLES
ON DIRAIT QU'ELLE
SORT AU BRAS DE
SA SŒUR JUMELLE

Ta mère transpire tellement que les saumons lui remontent le long du dos.

Ta mère est tellement constipée qu'elle pète du nez.

Quand on rentre chez ta mère, c'est pire que si on sortait dans la rue.

Son haleine est tellement épaisse que quand elle parle on voit les mots sortir.

Ta mère a tellement de pellicules qu'on dirait le festival de Cannes.

Quand les juges en auront fini avec l'opération «mains propres», ils feraient bien de se pencher sur les fesses de ta sœur.

Ta mère est tellement dégueulasse qu'elle doit confondre le gant de toilette avec le paillasson.

La maison de ta mère est tellement en ruines que les réfugiés bosniaques s'y sentent comme chez eux.

Ta mère a des points noirs tellement gros que pour les extraire il lui faut une pelle Poclain.

Chez ta mère c'est tellement crade que Monsieur Propre s'est mis à boire.

Ta mère est tellement
crade que quand elle
écarte les jambes,
les avions renifleurs
ont les larmes aux yeux.

Ta mère est tellement poilue que pour passer le balai elle écarte les bras.

Ta mère est tellement sale que quand elle transpire on croit qu'elle sort d'un bain de boue.

Ta mère pue tellement des dessous de bras que quand elle saluait Pétain les collabos devenaient résistants.

Ta mère est tellement poilue qu'elle s'épile avec une débroussailleuse.

Ta mère est tellement crade que quand elle décroise les jambes ça pique les yeux.

Si les femmes sont des fleurs, faudrait changer l'eau de ta mère.

TA MÈRE A UNE
VOIX TELLEMENT
HORRIBLE QUE
QUAND ELLE
CHANTE LA PLUIE
REMONTE DANS
LES NUAGES

Ta mère sent tellement le fromage qu'elle rote des asticots.

Ta mère a tellement de varices qu'on dirait une pub pour le roquefort.

Ta sœur a des règles tellement abondantes qu'elle doit mettre un traversin.

Ta mère repousse tellement du goulot que c'est pas une voilette qu'elle devrait mettre, mais un bouchon.

Ta mère pue

tellement

de la gueule que

les gens raccrochent

quand ils l'ont

au téléphone.

**Chez toi c'est tellement
sale que ta mère
tricote des pulls
avec les moutons
qui sont sous son lit.**

**Ta mère est tellement
mal sapée qu'elle
doit acheter
ses fringues
chez Poly et Esther.**

**Ta mère se prend
tellement pour
Blanche-Neige
que les morpions
jouent les Sept Nains.**

**Ta sœur est tellement
sale qu'elle sert
de mascotte
aux vidangeurs.**

SI TA MÈRE NE MET JAMAIS DE CHAPEAU VERT, C'EST POUR QU'ON LA PRENNE PAS POUR UNE POUBELLE

Quand ta mère se passe du déodorant sous les bras, le stick est bon pour le vide-ordures.

Ta mère transpire tellement qu'il y a des auréoles sous le lit.

Ta mère est tellement crade qu'elle doit se désodoriser à l'ammoniaque.

Ta sœur est tellement dégueulasse qu'elle doit prendre son bain dans le bac du chat.

Ta mère est tellement crade
que quand j'ai arraché
une toile d'araignée
elle a hurlé : « Qui a déchiré
mes rideaux ? »

Ta mère est tellement dégueulasse qu'elle perd trois kilos en prenant sa douche.

Ta mère pue tellement
et a tellement de points
noirs qu'on dirait
du munster au cumin.

Dieu a pris une côte d'Adam pour fabriquer Ève, et quand ça a cicatrisé il a fait ta mère avec la croûte.

16

ta mère est chiante

TA MÈRE EST TELLEMENT FÉROCE QUE MÊME LES PITBULLS CHANGENT DE TROTTOIR

Ta mère est tellement chiante que le Bon Dieu va regretter d'avoir inventé la vie éternelle.

Ta mère tire tellement la gueule qu'on peut même pas l'appeler « la Vache qui Rit ». On peut même pas l'appeler « la Vache », avec sa poitrine... Et on peut même pas l'appeler « la », vu qu'on dirait ton père en plus viril !

Ta mère est tellement indigne que quand elle marque ton petit frère au fer rouge, elle désinfecte même pas le tisonnier.

Ta mère est tellement sadique qu'elle t'enferme avec la collection complète de *Penthouse* dans un cagibi tout noir.

Ta mère est tellement méchante que quand ton père la sort il la tient en laisse.

TABLE DES «TAMÈRES»

Directrice littéraire :
Huguette Maure

Conception et réalisation :
favre & lhaïk

Attachées de presse :
Nathalie Ladurantie
Myriam Saïd-Errhamani

Photo couverture : THE GOATS (crédit : Michael Lavine)

Discographie THE GOATS : « TRICKS OF THE SHADE », « NO GOATS, NO GLORY » (chez Squatt/Sony Music).

Impression réalisée sur CAMERON par
BRODARD ET TAUPIN
La Flèche

pour le compte des Éditions Michel Lafon
en juin 1995

Imprimé en France
Dépôt légal : juin 1995
N° d'impression : 1104 M-5
ISBN : 2-84098-100-9
50-1377-6